中国科普名家名作

趣味数学故事

美绘版

神奇的1001

谈祥柏 著 / 许晨旭 绘

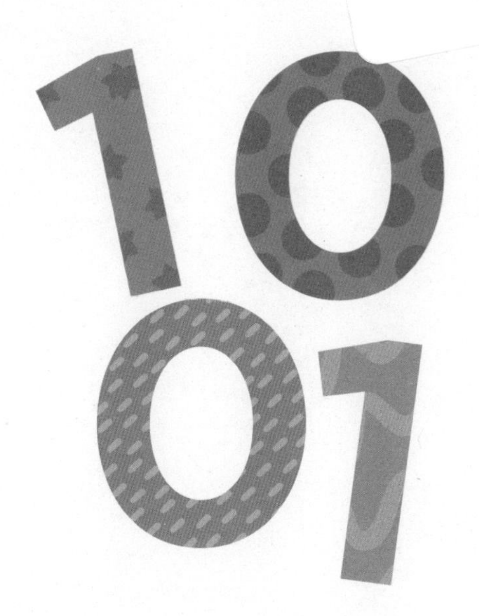

中国少年儿童新闻出版总社
中国少年儿童出版社
北 京

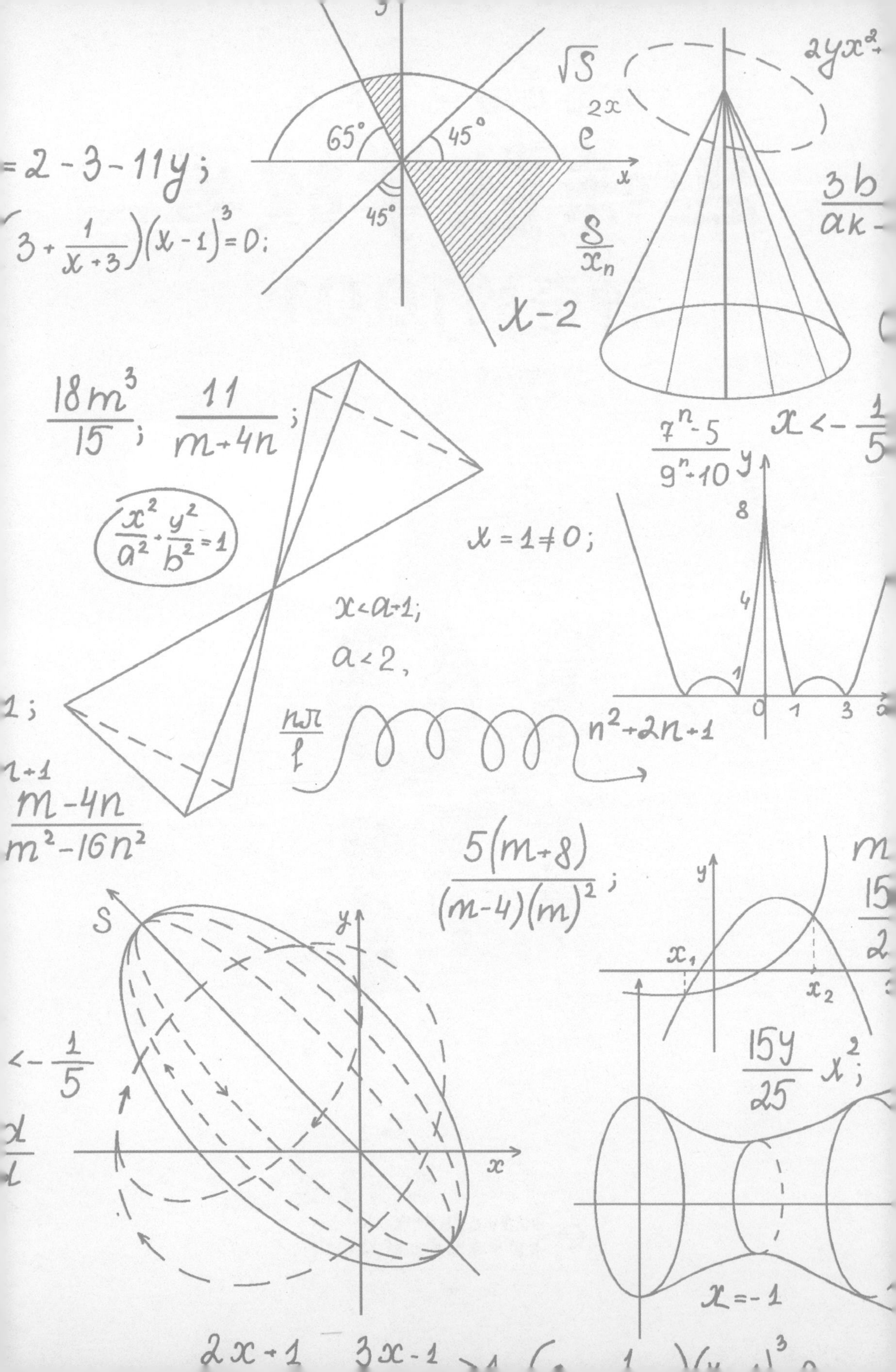

=2-3-11y;
65°
45°
45°
√S
e^2x
x
S/x_n
x-2
3b/ak
18m^3/15;
11/(m+4n);
7^n-5/9^n+10
x=1≠0;
x<a+1;
a<2,
8
4
1
0
1
3
nπ/l
n^2+2n+1
m-4n/m^2-16n^2
5(m+8)/(m-4)(m)^2;
S
y
x
x_1
x_2
y
15y/25
x=-1
2x+1
3x-1

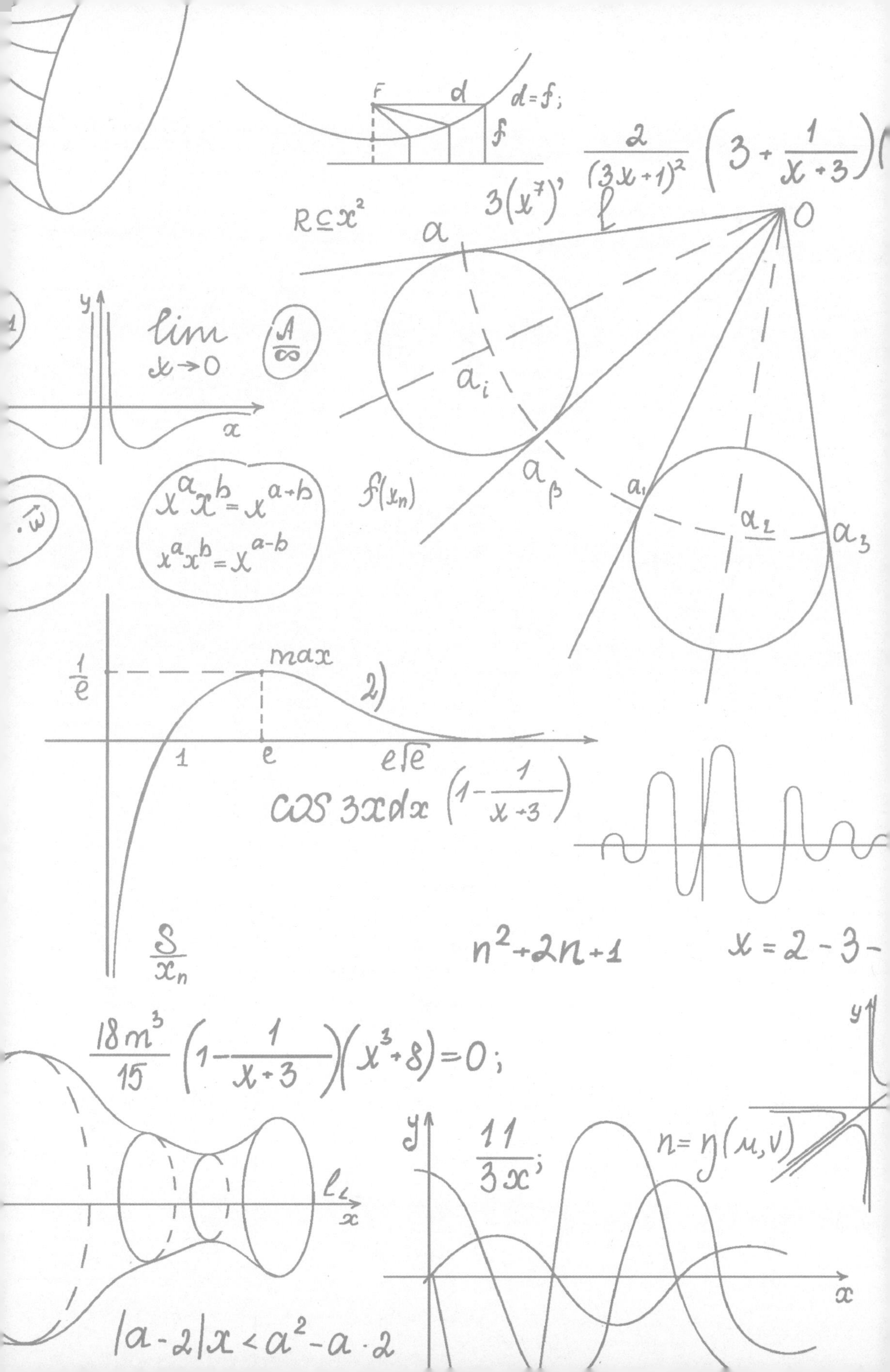
d=f;
R⊆x²
3(x⁷)'
lim x→0
1/∞
xᵃxᵇ=xᵃ⁺ᵇ
xᵃxᵇ=xᵃ⁻ᵇ
f(xₙ)
max
cos 3xdx
n²+2n+1
S/xₙ
18m³/15 (1−1/(x+3))(x³+8)=0;
11/3x;
n=η(u,v)
|a−2|x<a²−a·2

MU LU
目录

DA GUAN SI

打官司

“獾和貂打官司”是出了名的朝鲜寓言。朝鲜的传统寓言为数不多，出名的更少，这一则是其中的“佼佼者”，得到许多人的青睐。

有一天，一只獾和一只貂同时在山间小路上发现了一块肉。

“这是我捡到的！”獾叫喊起来。它的意图十分明显，不容许别人分享。

“不，它是我的！”貂也不甘示弱，叫嚷的声音压倒了獾。

“是我先看见的！”獾发火了。

“不对，是我第一个发现的！”貂也针锋相对，钉头碰铁头。

它们争执不下，难分难解。要不是考虑到双方体格都很魁梧，打斗起来谁也占不到便宜，说不定它们早就打起来了。

獾说话了。

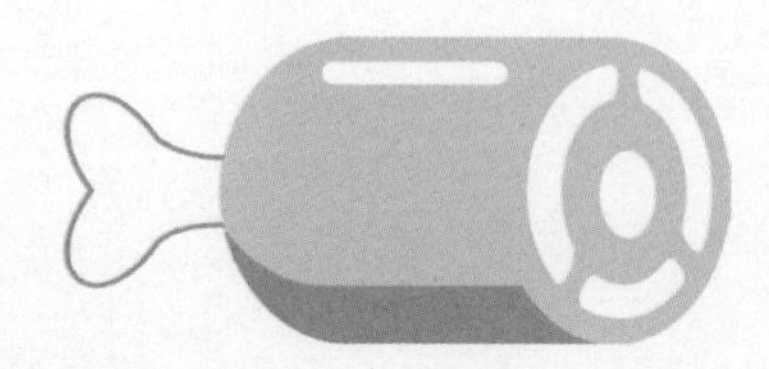

“这样吧，我们去找狐狸，请它当个法官，给咱们评评理。”

貂同意了，于是它们找到了老狐狸，分别讲述了各自的理由。

老狐狸听完了双方的话以后，马上就表了态。它官腔十足地说：“请我做公证人，你们双方都不会吃亏的。这样吧，我把这块肉分成相等的两份，你们2位1人1块。”说完后，狐狸就把那块肉分成了两块，给貂和獾1人1块。

“貂的那块比我的大！”獾大叫起来。

“那我再分得平均一些吧。”狐狸一边说，一边拿着貂的那块，狠狠地吃了一大口。

“现在獾的那块比我的要大了！”貂哭丧着脸说。

“让我再来给你们匀一匀。”

这样一来，貂的这块肉又比獾的那块大些。于是，狐狸又当仁不让地再来啃貂的那块肉。

老狐狸真不愧为一位“**不等式**大师”，它十分老练地玩弄手法，一会儿 A > B，一会儿又变成 A < B。

就这样，獾和貂眼睁睁地看着狐狸把两块肉一口一口地吃光。到最后只剩下骨头，谁也不想要了。

中国古代有位大财主，家财万贯。财主有两个儿子，老头子死了以后，两个儿子为了争夺家产，各不相让，便到一个号称“清官”的李知府那里去打官司。

知府大人问明原因后，才晓得有些古董不好分，比如号称“龙吐水”的中华第一壶，《七侠五义》里锦毛鼠白玉堂从皇宫里偷来的“五凤杯”，等等。这些东西都是独一无二的，给了老大，老二不服，又无法作价；放在家里库房上锁保管，又是谁也不放心。于是狡猾的知府大人对他们说：“看来还是

让老爷我替你们暂时保管一下吧。以后等有机会，出售给古董商人，狠狠地敲他一大笔银子。”兄弟两人一听此言，十分满意，当下叩头谢恩。

光阴如箭，眼看 3 年过去了，此事还没有下文。知府大人也早已调任外省，路远迢迢，相隔千里。当时又没有立下任何字据，“天高皇帝远”，到哪里去评理，只好眼睁睁地被知府占了便宜去。

看来，分东西要分得绝对公平，实在不是简单的事情；弄得不好，是要被别人钻空子的。

数学家果戈尔博士是秘鲁前总统藤森先生的好朋友，一次他应邀去秘鲁旅游。有一天，他做了当地一位百万富翁的座上宾。这位大富翁膝下有一对双胞胎女儿，那天正好是她们的生日。她们的父亲为她们定做了一只圆形大蛋糕。为了增加气氛，百万富翁说：“各位朋友，你们谁能把这块蛋糕分得完全一样——不但一样重，形状也要相同，而且分出来的形状必须全部由曲线组成，不准有直线段——那谁就是今天最受欢迎的嘉宾。”面对这个难题，大家都面面相觑，束手无策。

果戈尔博士不愧是位智力出众之人，但见他眉头一皱，计上心来，立即照中国“太极图”的办法（图 1），巧妙地完成了任务。

奇妙的是，“太极图”是非常容易画的，一般二三年级的小学生，手持圆规，马上就能画出来。■

图 1　巧分生日蛋糕

BAI SHOU ZI KUA
百兽自夸

有一天，上帝召集世间百兽，要把它们的缺陷清除。他说："一切众生啊，都来到我的脚下。说说你们的不满，谁也不用害怕。"他要猴子首先发言，便说："上前吧，调皮的猴儿，你的不满理所当然，只消比比相貌，你怎能不抱怨?”调皮的猴子回答：“我？为何要抱怨？我不也四肢俱全，仪表堂堂，没有人说过难看！倒是我的大熊兄长，的确长得相当粗气！五大三粗，笨头笨脑，谁也不愿同它合影留念。”大熊摇摇摆摆地走过来，大家以为它很悲哀，可是当它说到自己，简直越

说越是可爱！它对大象做了批评，认为大象首尾都有毛病：“耳朵大得有些过分，尾巴小得太不相称！一个长长的鼻子卷起巨木，简直能把别人吓出了魂。象兄的身体过分臃肿，没有半点儿优美腰身。你要别人叫好，就必须把自己来一个彻底改造——既要缩小耳朵面积，又要

放大尾巴尺寸。”

大象的发言跟别的动物一样，它先把鲸鱼嘲笑了几句：“如果按照我的口味，这位太太实在太肥。”大象发言完了之后，接着蚂蚁自称巨人，狐狸比作军师，饿狼胜过外婆……

动物们一番自夸以后，上帝把它们一一遣走。看完这则寓言故事，你可能会觉得这些动物十分愚昧，但其实我们人类也不例外。不论过去还是现在，大部分人身上都挂着两只口袋：前袋装着别人缺点，一切看来都很明显；后袋装着自己缺点，挂在背后老看不见！

上面这则寓言名叫“褡裢”，又称“百兽自夸”，是法国著名寓言大师拉·封丹的杰作，原文采用的是诗的形式。

有位数学教师非常欣赏这则寓言，于是他挖空心思，开动脑筋，把它改造成了一个既通俗又有趣的数学游戏。这个游戏是这样的：

先设定“动物学号”。学号先同英文字母对应，就是说，1相当于A，2相当于B，3相当于C，4相当于D……下面是一些常见动物和它的“学号”对应表：

1	**Ant(蚂蚁)**
2	**Bear(熊)**
3	**Cat(猫)**
4	**Duck(鸭)**
5	**Elephant(大象)**
6	**Fox(狐狸)**
……	

然后，请你在1到10中间选定一个数字，但不要告诉我。把此数乘上9，答数可能是1位数或2位数。如果是2位数的话，那就请你把个位数与十位数相加起来，最后得出一个数，例如3×9=27，2+7=9。把该数再减去4，所得到的差数便是“动物学号”了。

现在，我可以肯定，不论你当初选什么数，用此算

法最后得到的一定是大象的“动物字号”！你信不信？

如果你想要的是“狐狸”而不是“大象”，那么，应该怎样加以修改？■

REN GUI DOU ZHI
人鬼斗智

请看下面这个故事：

有一所老屋，虽然已有百年以上的历史，但仍保存得很完好。由于大家都说里面有鬼，人人谈鬼色变，谁也不敢在里面住宿。后来，有一个人声称自己胆大包天，无论什么鬼见了他都会退避三舍。他对屋主人说："我是天不怕地不怕的，让我进去住一夜吧。"屋主人同意了他的要求——当然不收他一文钱的住宿费，不过声明出了事概不负责。双方拍板成交之后，他就进屋住宿了。

不料事有凑巧，不久又有一人前来，也想进去住宿，而且拍胸担保胆子比头一个还要大出10倍。屋

主也欣然同意了——来住的人越多越好，如果住宿者证明古屋里没有鬼，兴许它就能高价出售。

后来的那个人是个慢性子，他磨磨蹭蹭，到了半夜才去推门。不料先进去的那个人，以为推门的一定是鬼，就拼命堵住房门不让他进去；而推门的人虽然吓得根根毛发都倒竖，以为在里面的必定是鬼，可还是拼命推门，要闯进去同鬼进行搏斗。

后来门被撞破，两人就在里面进行了一场你死我活的恶斗，弄得两败俱伤。两者都以为对方是鬼，使出吃奶的力气，一直打

到天亮。

你看，在上面的故事里，鬼是根本不存在的。不过，美国人可不管它存不存在，每年的 10 月 31 日美国人都要过“万圣节”。“万圣节”也称“鬼节”，许多人在这天晚上都玩起了“南瓜灯”，在南瓜上刻一些滑稽可笑的“大头鬼”“马屁鬼”“讨债鬼”，以及敢于和上帝叫阵的大魔鬼撒旦。

小学老师们也在为可爱的孩子们讲故事、编故事。有些故事编得很有意思，很有质量，有的甚至得到数学教育界的好评和认同，简直可以称为现代寓言了。下面让我来选录其中之一：

人和鬼斗智，请腰间长着翅膀的天使来做公证人。

图 2

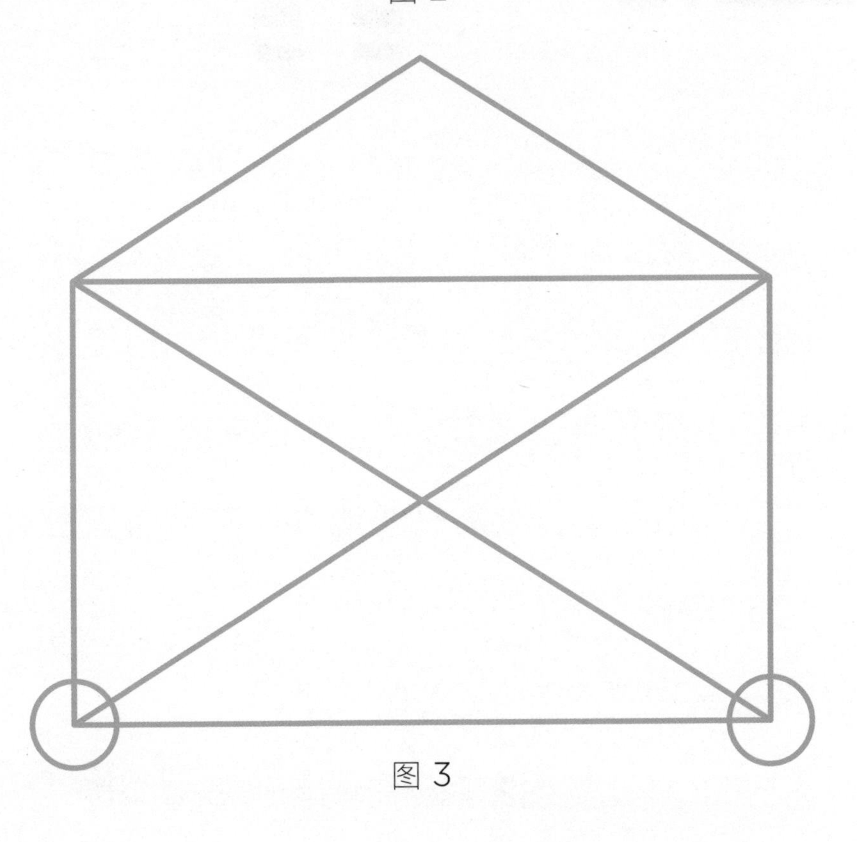

图 3

“你能用一笔画出这个图形（见图 2）吗？当然，笔不能离纸，而且画过的任何线段都不准重复。”人问道。

鬼试了又试，白白浪费了许多纸张，始终达不到目的；只好承认自己没有本事，无法完成任务。

“看我的！”人趾高气扬地说。但见他从图上有“○”的两点之一（任意选择一个）出发，轻而易举地就用一笔描出了图形（见图 3）。

“怎么样，我的图形比你的图形要复杂吧？”人

得意地说。

“佩服之至！老兄的本事比我高10倍。今后我们井水不犯河水，彼此相安无事，好吗？”鬼诚惶诚恐地说。■

ZHONG KUI ZHUO GUI
钟馗捉鬼

钟馗（kuí）在阴间捉鬼成绩很大。可阎王还不知足，竟然命令钟馗前往阳世捉鬼。钟馗奉旨，奔腾而上，仗剑捉之。岂知阳世之鬼，远比阴间之鬼多且凶。他们张牙舞爪，十分厉害。

众鬼见钟馗来捉，一点儿也不怕。只见冒失鬼一马当先，上前夺剑；伶俐鬼连打冷拳，搬腿抽袖；讨债鬼满口脏话，拉靴摘帽；下作鬼破口大骂，解带脱袍；短命鬼挤眉弄眼，窃剑偷刀；吊死鬼唉声叹气，双脚齐跳；哭丧鬼声泪俱下，号啕大哭；再加上淘气鬼抠鼻挖眼；落水鬼唠唠叨叨……

当下钟馗自己阵脚大乱，有法等于无法，只好觑个破绽，落荒而逃。

岂知还有一个贪心鬼紧追不舍，不自量力，妄想活捉钟馗。于是钟馗反戈一击，不费吹灰之力，把他擒获在手。

可阎王认为钟馗没有完成任务，命他继续在阳世捉鬼，否则军法论处。

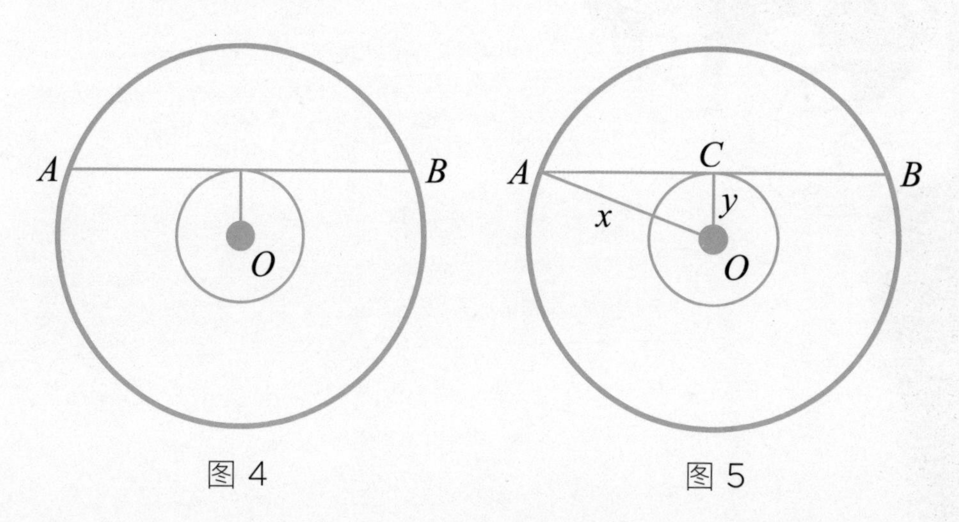

图 4　　图 5

钟馗接到指令，正在为难，忽见一大胖和尚嘻嘻而来。他指点钟馗："这有何难？你岂不闻古人有聚而歼之的说法。阳世众鬼，比不得阴间，若没有钱，他们是寸步难行的。你只要同皇帝合作，发下通告，银两与铜钱不能用了，改用钞票，并限期兑换，务必于某月某日黄昏日落之前兑换完毕，过期作废。规定这些人必须集中兑换不能代办，等到把他们集中起来之后，我就有办法对付了。"

要捉什么鬼，钟馗手里是有一本清单的。白花花的银子谁不爱？众鬼害怕白花花的银子打水漂，都决定亲自出马兑钞票。

到了那一天，不大不小的环形区域(图4)内已经"鬼满为患"。钟馗本想用火攻之计，万炮齐发，把众恶鬼一网打尽。但大胖和尚不赞成，说是上天有好生之德，他们的罪行有轻有重，应该区别对待；另外，阎王也要把他们捉去审问。于是决定采用麻醉办法，准备把他们麻翻在地。

为了正确核算用药的数量，就必须算出环形区域的面积。如图5所示，AB是外圆的一条弦，内圆与它相切，AB之长500米。按照通常的想法，欲求圆环面积，必须知道内圆和外圆的半径。但两者都是未知数，胖和尚打算去实地丈量。但是，聪明的钟馗看了图形，心中早已雪亮，连连摇手说不必去实测了。

胖和尚将信将疑，猜不透钟馗的想法。于是，这位捉鬼能手当了一次答疑的老师。原来，中国古人早已掌握了**勾股定理**。设大圆的半径为 x，小圆半径为 y，长度单位为千米，因为$\frac{AB}{2}$ **=250 米 =**$\frac{1}{4}$**千米**，则由题意显然有

$$x^2-y^2=\left(\frac{1}{4}\right)^2$$

在这里，x、y 虽然都是未知数，但平方差 x^2-y^2 可以求出来，于是我们就能轻而易举地求出圆环的面积：

圆环面积=外圆面积 - 内圆面积

$=\pi x^2-\pi y^2$

$=\pi(x^2-y^2)$

$=\frac{\pi}{16}$（平方千米）

$\approx$ 196.250（平方米）

钟馗取出麻药，将众鬼一一麻翻在地。捉住众恶鬼后，钟馗笑眯眯地对胖和尚说："当然，这里面也有你的一份功劳。如果不是你告诉我阳世众鬼虽然行踪飘忽难以捕捉，但都贪财趋利，我是很难捉住他们的。"

CHILDREN'S

MEI PO DE ZUI

媒婆的嘴

冷峻、辛辣、锋利是寓言的三大特点。一般说来，幼儿喜欢听童话故事。随着年龄的增大、阅读能力的提高，他们慢慢就会发现，童话的滋味与教育意义远远不如寓言了。

请看下面这则来自伊朗的寓言故事：

有人梦见自己在和真主对话。

“伟大的安拉啊，在你眼里，1000 年意味着什么？”

“不过一分钟罢了。”

“啊，至高无上的真主！请告诉我，10 万金币又意味着什么？”

“一个铜板罢了。”

“大慈大悲的真主啊，那就请你恩赐给我一个铜板吧。”

真主回答说：“也好，请等一分钟。”

按照真主的比例与换算关系，请问这个人能拿到金币吗？

再来看另一则寓言：

利嘴的媒婆夸奖姑娘样样都好，心直口快的小伙子却说："这个姑娘我看到过，好像一只眼睛是瞎的。"

"那好哇，别的男人不会同她眉来眼去了。"

"听说她是个哑巴。"

“挺好哩。她不会叽叽嘎嘎，多嘴多舌了。”

“有人说她一只手不大好使。”

“是个很大的优点，她不会偷鸡摸狗了。”

“据说她有只脚不大会走路。”

“这样一来她就更加老实本分，不会去各家串门，可以少惹是非。”

“此人个子很矮吧？”

“个子矮可以省衣料啊！”

以上一问一答，共有 5 个回合；明明是一个丑八

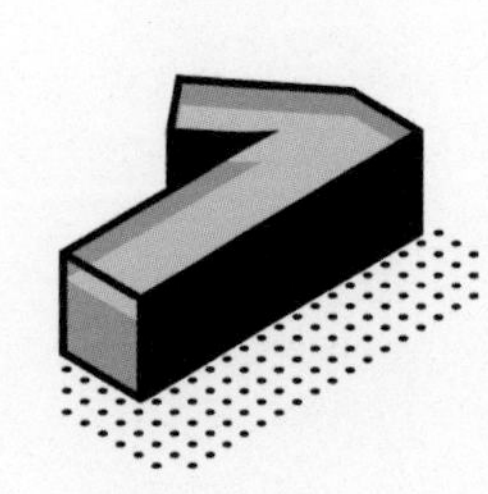

怪，媒婆竟把她说得十全十美，似乎比天仙还要好。

看了这则寓言以后，你会生发出什么感想呢？想来总是仁者见仁、智者见智，各有各的看法了。令人不可思议的是，有位数学家兼电脑专家读了这则寓言之后，竟想出了以下一个趣题。

这个数学家住在德黑兰，这是个出数学家的地方。20 世纪 60 年代，创造模糊数学的大师洛德菲·扎德就是德黑兰人。

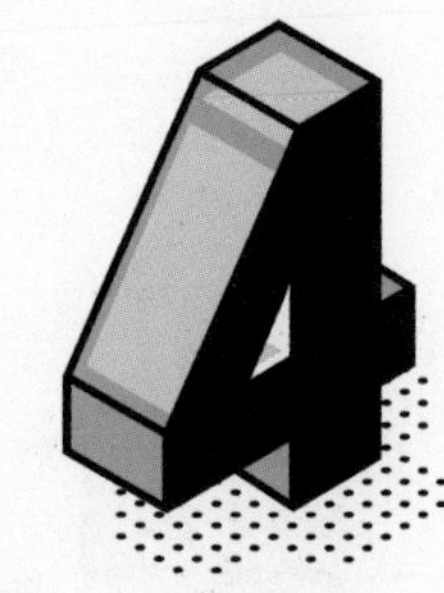

我们知道，0，1，2，3，4，5，6，7，8，9 是构成数的"基本单位"。这位数学家想，10 位数可以从 5 位数的平方算出来，那我能不能把 0，1，2，…，

9 这 10 个数平分成两组，构成两个 5 位数，使这两个 5 位数的平方结果都是由 0，1，2，…，9 这 10 个数字构成的、不重不漏的 10 位数？

如果单凭人力，想把这种“十全十美”数搜查出来，那真无异于大海捞针。好在我们有电脑，经过一番努力，有人利用电脑达到了目的。请看下面两个数：

57321^2=3285697041;

60984^2=3719048256 ■

BEN LÜ GUO HE

笨驴过河

驴子在牧场上吃草，突然看见一只恶狼向它扑过来。驴子情急生智，假装跛脚的样子，并告诉恶狼，说是走过一个篱笆时踏着了刺；随即又对恶狼说，要先帮它把刺拔掉，然后再来吃，免得吃的时候扎到喉咙。恶狼相信了，拿起驴子的蹄子，全神贯注地找刺。驴子趁机抬脚猛踢，把恶狼的牙齿都踢光了。恶狼被害得好苦，只好仓皇逃命。

从此之后，驴子便沾沾自喜起来，自认为聪明绝世，智谋过人。有一次，它背了一袋食盐过一条大河，滑了一下，跌倒在水里。盐溶化了，它站起来时顿觉轻了许多。这件事更使它认为自己聪明绝顶，并且总是交好运。后来有一回，它背了一袋海绵走到大河边时，以为再跌倒就能减轻重量，于是故意一滑。然而海绵吸足了水，沉得要命。驴子被吸足了水的海绵压得无法站起身来，活活淹死在河里。

有人问，数是最公平无私的，难道它也会令人上当，使人判断失误吗？请看下面的例子。

L 形骨牌与常见骨牌不同，它由 3 个单位正方形组成，任意旋转和翻身都可以。

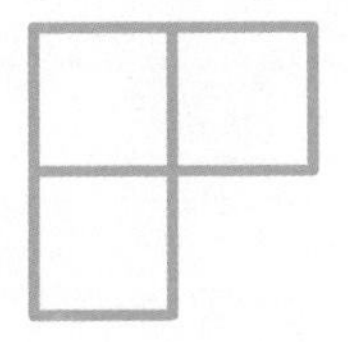

L 形骨牌

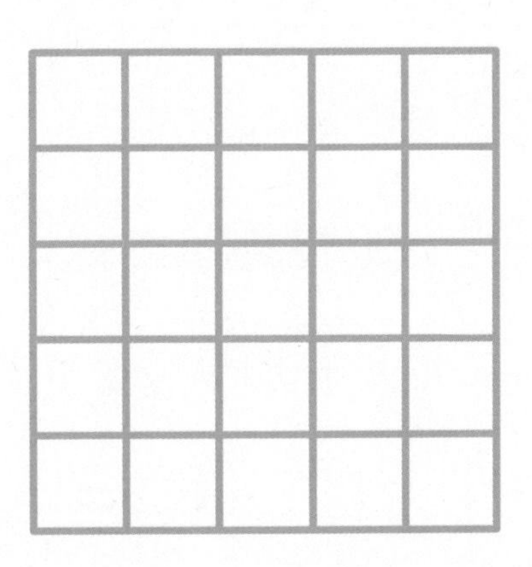

任意剪去一个小正方形后，你能用 8 块 L 形骨牌将它完全覆盖吗？

现在有一个边长为 5 个单位，面积为 5 × 5=25 个单位的正方形。任意挖掉 1 个单位之后，剩下的面积当然是 24 个单位了。由于 24 是 3 的倍数，于是，人们自然而然地认为：一定可以用 8 块 L 形骨牌，完全覆盖这个缺了 1 格的正方形。人们甚至还把这个问题作为比赛项目：谁能在较短的时间内完成，谁就是优胜者。

图 6

为了便于说明，我们将 5 × 5 的正方形染成暗白两色，见图 6。这时，规律就“显山露水”了。我们说，凡是剪去任一暗格的图形就一定能用 L 形骨牌加以覆盖，而剪去任一白格的图形就不行。(所谓暗格、白格只是一种方便说法，实际上不能真正去画，以免泄露天机。)

先说说前一种情况。假定被剪去的单位正方形位

于棋盘中心，则不难找到具体的覆盖办法，见下面图 7。如果所剪的格不在中心，而在其他位置，请读者自己去试试。为什么剪去任一白格的图形无法用 8 块 L 形骨牌覆盖呢？让我们请数字来帮忙。在 5 × 5 正方形的各个格子里填入自然数 1、2、3、4，见下面图 8 所示。不难看出，凡是暗色小方格的位置，所填的数字都是 1。一块 L 形骨牌无论怎样摆，它所覆盖的 3 个数目必定互不相同。

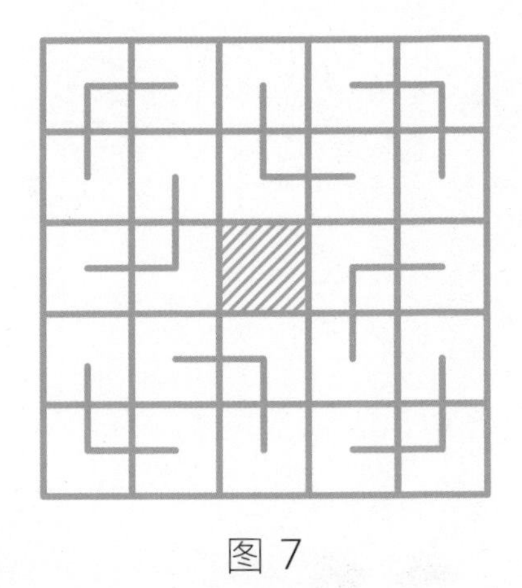

图 7

1	2	1	2	1
3	4	3	4	3
1	2	1	2	1
3	4	3	4	3
1	2	1	2	1

图 8

在去掉一个白色小方格后，如果可以用 L 形骨牌完全覆盖，那么图上的 9 个 1 必定会落到 8 块 L 形骨牌中。但是根据抽屉原理，此时必然会有某个 L 形骨牌中含有 2 个 1（好比 9 只苹果放在 8 只抽屉中，肯定会有 1 只抽屉至少有 2 只苹果），而这是无论如何做不到的。

由此可见，剪去的格子其实分别属于两种截然不同的类型，好比使笨驴上当的盐与海绵。■

QI SI WO YE

“气死我也”

话说白雪公主有一个漂亮而好嫉妒的后母，她虽然贵为王后，但心肠十分狠毒。她有一面魔镜，每当她照镜子时，总是要问：“小镜子，小镜子，天下的女人谁最美丽？”当看到镜子里出现的形象是她自己时，她便十分满意地一笑。

当白雪公主长成花季少女时，镜子却回答：“王后，以前这儿数你最美丽，但现在，白雪公主比你还要漂亮一千倍。”接着，魔镜里就映出了白雪公主的形象，王后嫉妒得脸色发青。

狠毒的王后指使一个猎人去杀死白雪公主，并要他把她的肝和肺拿来做证，领取重赏。但是这位猎人受到自己良心的责备，不愿做杀手。于是他杀了一只野猪，取出它的心肝和肺来向王后交差。这个狠毒的女人叫厨师放了盐，把它们煮熟以后吃掉了。

白雪公主逃进茫茫林海，同 7 个小矮人住在一起。

再说那个坏女人吃了野猪的肝和心肺以后，又去问魔镜，镜子的回答却使她大吃一惊：

“王后啊，这里数你最美丽，可是在遥远的山那边，在7个小矮人那里的白雪公主，比你还要漂亮一千倍呢！”

话音刚落，镜中马上出现了白雪公主的漂亮面孔。王后大叫一声：“气死我也！”原来猎人欺骗了她，白雪公主依旧活在世上。她怎肯善罢甘休，于是在脸上涂了颜料，乔装打扮成卖杂货的老太婆，想方设法要把白雪公主害死。

由于篇幅关系，我们只好把故事加以精简：卖木

梳，骗吃毒苹果……这个坏女人施尽了阴谋诡计，但是事与愿违，镜子里始终出现她最不愿意看到的、白雪公主的形象。

下面我们来介绍一个游戏。先用较硬的卡纸做出一大一小两个同心圆盘，其中大小两个同心圆都被分为16等份，并且小圆可以在大圆中转动（可以参考后面的图）。

游戏方法如下：先将小圆任意转到一个大小圆半径对齐的位置，然后从转盘上随便哪个人物开始，按照小圆中所对应的数字沿着逆时针方向数出几格，把最后一格的人物记在心里。这时，不需要你做任何暗示，

游戏者就能猜出你心中暗记的是什么人物。

例如把内层的同心小圆转到下图位置，如果你从“巫婆”开始，照逆时针方向数到第 24 格（“巫婆”算第 1 格），那最后一格必定是“白雪公主”，你说奇怪不奇怪！

其实，这个转盘是经过精心设计的。按照上面交代过的办法，随便从哪个人物开始数起，最后一定会停在 33 所对应的人物上；说白了，也就是停在“白雪公主”上。为了不让人识破其中的奥妙，在做这个游戏时，最好是让同学们一个一个地来试；而且在猜过几个人之后，就把小圆转过几格，以便使答案换成别的人物。

如果用漫画表示盘中的童话人物，本游戏的趣味就会更浓厚。■

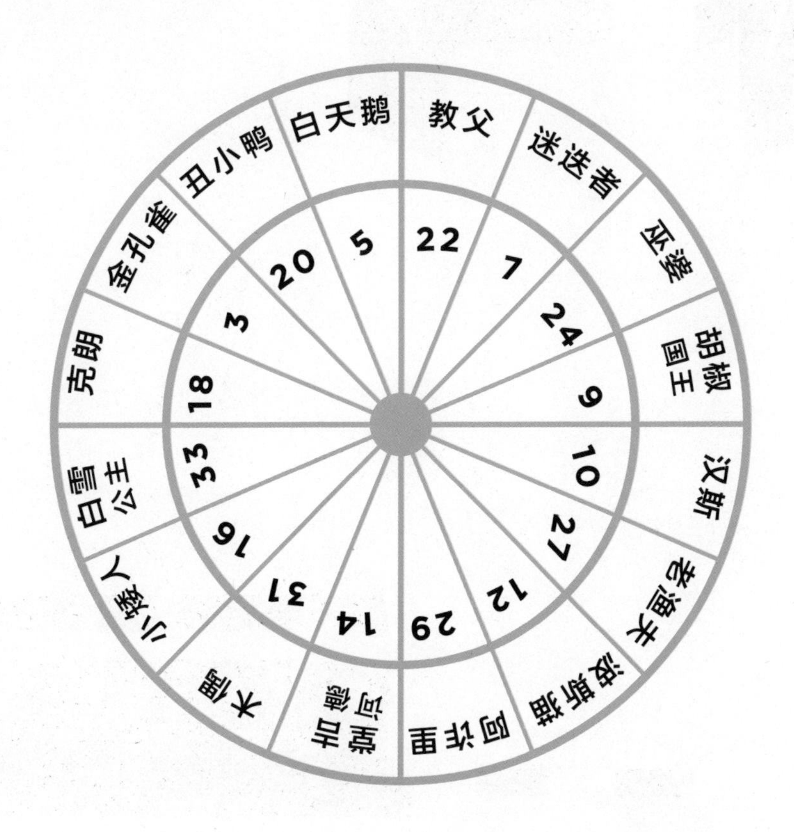

ZUO YOU FENG YUAN
左右逢源

据说，从前齐国某人家有个女儿，长得非常美丽，远近闻名。两个人同时向她求婚，其中一人是东家的儿子，长相是个“丑八怪”，但家里非常有钱；另一个是西家的儿子，长得相当漂亮，学问不错，但家里很穷。父母对此事犹豫不决，拿不定主意，便征求女儿的意见，让她自己决定嫁给谁，并对她说：“你要考虑周到，想想比比，不要仓促决定。要是你羞于开口、难以直说的话，就或左或右地袒露一只胳膊，让爹娘了解你的想法。”女儿点点头。第二天，她把父母叫进房间，袒露出两只胳膊。父母感到奇怪，问她什么缘故。女儿说道：“我想在东家吃饭，西家住宿，这就是我袒露两臂的意思。”

东西方相隔万里，文化背景、风土人情相差悬殊，但寓言方面却有很多类似之处。中世纪时的意大利尚未形成统一国家，北部平原城邦林立，群雄并起；热那亚和威尼斯一东一西，互相敌对，彼此争抢人才，都想独霸天下。当时有个原籍西西里岛、名叫卜加修的人，“脚踏两条船”，先后在东西两国做过高官，凭其三寸不烂之舌，劝他们摒弃前嫌，偃武修文，和平共处。尽管他没有苏秦那样大的本事，却也干得不错。

这样的事情还可以举出一些。多数情况下，这些人是“人财两空”，所谓“偷鸡不着蚀把米”。

“上北下南，左西右东”，大家都知道，这是地理学上定下的规矩。“东西”可以变为“左右”，反映在数字上，就是数的首位与末位。

有趣的是，中世纪的意大利，是个名副其实的“趣题之乡”。据说，下列问题与数学史上极其有名的斐波那契有关。他发现在100万以下，只存在一个6位数；用它乘以4后，得出的乘积居然与被乘数大同小异，只是末位的数移到首位而已，其他的数完全保持不动。

请看下面的乘法等式：

$$102564\times4=410256$$

这真是一个“左右逢源”的数。这样的数可说是“凤毛麟角”了吧?

不，并非如此，它还可以6位、6位地任意拉长，等式照样成立，比如：

$$102564102564 \times 4=410256410256$$

$$102564102564102564 \times 4$$

$$=410256410256410256$$

不信，你可以试试。

这些奇妙的性质，都同循环现象有关。“循环”和“混沌”现已成为数学研究里的两个大热门了。■

SHEI DE BEN LING DA

谁的本领大

北风和太阳争论谁的本领更大些。它们约定，谁能剥去行人的衣服，就算谁胜利。北风猛烈地吹刮着，可它吹得越厉害，行人越把衣裳裹紧，穿更多的衣服；太阳越晒越猛，行人热得难受，便一件件脱衣，直到最后把衣服通通脱光，跳到附近的河里洗澡去了。

如果比赛谁能使行人多穿衣服，那么，北风肯定是赢家了。北风之所以输，是因为它扬短避长——自己的特长与竞赛背道而驰。

到了极端，竟可以连自己都不认得。非洲寓言“跳鼠智胜狮子”就说了这样一个故事：

跳鼠抽中了倒霉的签，森林里的野兽们要把它抓去进贡给狮子吃。跳鼠说：“不用你们抓，让我自己去。”跳鼠见了狮子，自我介绍说：“我们这次抽签，是

我抽中的，理应作为你的口中之物。但刚才在路上，井里有一只狮子拦住了我，它说它的力气比你还大，要把我抢去吃。”

狮子大怒，杀气腾腾地奔到井口。它往里一看，果然看见另外一只狮子正怒气冲冲地望着它。狮子于是向井里的狮子猛扑过去，结果淹死在井里。

井里的狮子，实际上是它自己的影子——这是本寓言的点睛之笔，本体与镜像是完全对应和匹配的。

匹配战略在博弈论（美国数学家约翰·纳什因为

在博弈论中的重大贡献而荣获诺贝尔经济学奖。电影《美丽心灵》就是讲他的，该片一举获得奥斯卡4项大奖）中是一个重要的思路，它能帮助你获得下列"斗法棋"的胜利。

该棋有黑白棋子各12枚，放在一个5×5正方形棋盘上，中间有一个空格（见下页图9）。白子先走，每次只能移动一次，即把自己一方与空格直接相邻的

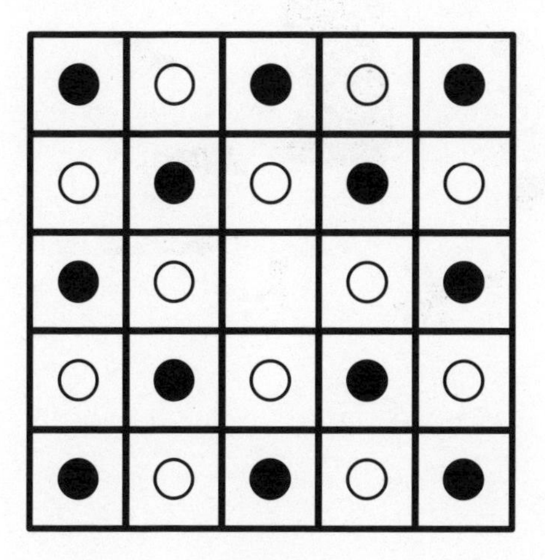

图 9

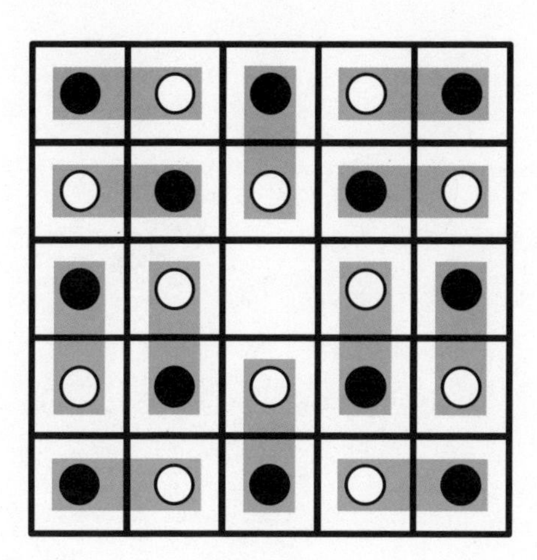

图 10

棋子走入空格；但规定只能上下左右移动，不准斜走。如果轮到哪方走时面前没有空格可走，他就只能认输。

这种比赛看上去简单，好像也没有规律。不过，这只是表面现象而已。相传古时走这棋最多不过 12 步，就能决出胜负。

首先，它是“后走者胜”。别的棋子大都是“先发制人”者占便宜，而它却相反。

人们常说“心中有数”，但是，在解决实际问题时仅仅有数还是不够的。恩格斯曾经说过一句名言：数学是研究数与量的科学。具体到这一题，还应该“心中有图”。有了图，你就能稳操胜券！

不妨设想棋盘上放着 12 只骨牌，每只骨牌占 2 格

（一黑一白），见图 10。当白子走动时，看它是从哪一张骨牌里走出的，然后记住秘诀：下一步，你也必须走那张骨牌里的黑子。好像上面的寓言故事，狮子狂吼，井里的狮子也狂吼。只要白子有路可走，那就保证你也必定有路可走。

当然，这个图形你要默记在心中。最后，应该说明的是：骨牌的安放法绝不止一种，还有许多排法，你不妨去试试。■

BU LING DE SHEN YU

不灵的神谕

中国古时候有个很出名的传说，叫作“河伯娶妇”。巫婆们装神弄鬼，说是河里的神仙要讨老婆了，要当地的百姓进贡钱财。这些装神弄鬼的巫婆们搜刮民脂民膏不说，还要把一名年轻女子盛装打扮以后，抛进河里说是送给河伯当媳妇。这种陋俗，多年不改，使百姓不胜其害。直到后来，有位聪明的地方官西门豹将计就计，以其人之道，还治其人之身，把几名作恶多端的巫婆推进河里，说是去向河伯报告，“这姑娘长得不漂亮，请允许我们另外换人”。这法子果然灵验，吓得众巫婆面如土色，叩头如同捣蒜，连连求饶，说以后再也不敢装神弄鬼骗人了。以上便是有名的“西门豹治邺”的故事。

据说外国有个沃伦堡，有许多聚族而居的遗址。这种城堡，有点儿像宝塔，下面大上面小，四周有许多瞭望哨。每层都有规格统一的“单元”房，其面积约为 64 平方米，正方形；家家都一样，体现了原始公社式的“一律平等”思想。

全族供养着一位“灶神”。每年祭祖，由族长传达“神谕”。他们有一个历代相传的习惯，数百年来从未改变：从灶神所在的一室（此室的位置并不固定，可以随时变动），向该层边缘尽头的一角画一条对角线；凡是对角线穿过的“单元”，其户主都要准备贡品，否则灶神是要降下灾祸的。

让我们对照矩形的平面图做些解释。底层为 9×10 的矩形（见下页图 11），二楼是 9×6 的矩形（见下页图 12），三楼是 8×4 的矩形（见下页图 13）。年老的族长口中念念有词，传达“神谕”说，底层被对角线穿过的共有 18 户，各应准备丰盛的贡品上供，他还宣布了各户的房号。

下一年，该族长年老去世，他的计算方法没有留传下来。不过，继任的族长认为这没什么了不起，来个照葫芦画瓢不就行了吗？他猜想，由于 18=10+9-1，即是（长 + 宽 -1），于是他假托神谕，说是二楼应上贡的住户为 9+6-1=14（户）。谁知这次却是大错

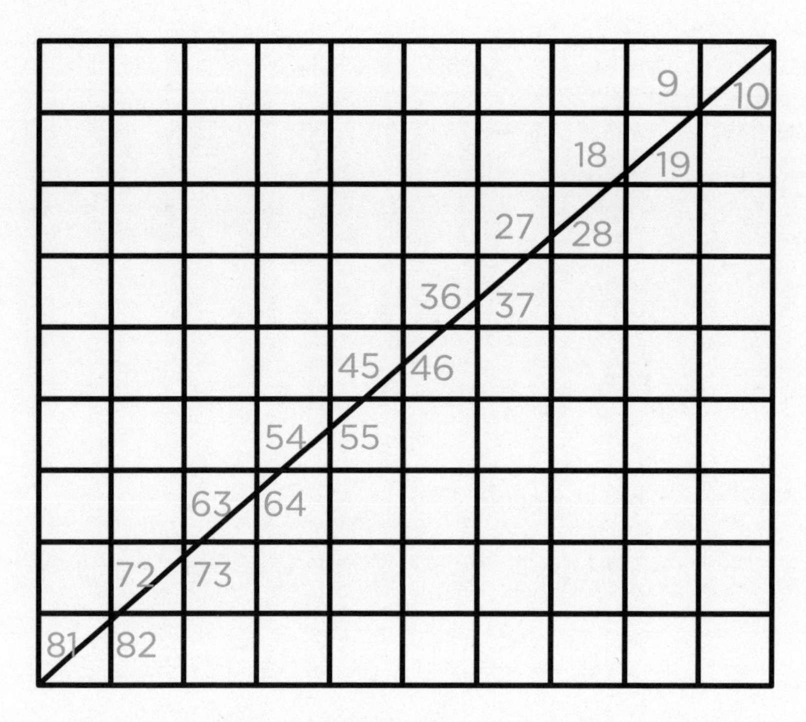

图 11

底层有 18 家住户要准备贡品

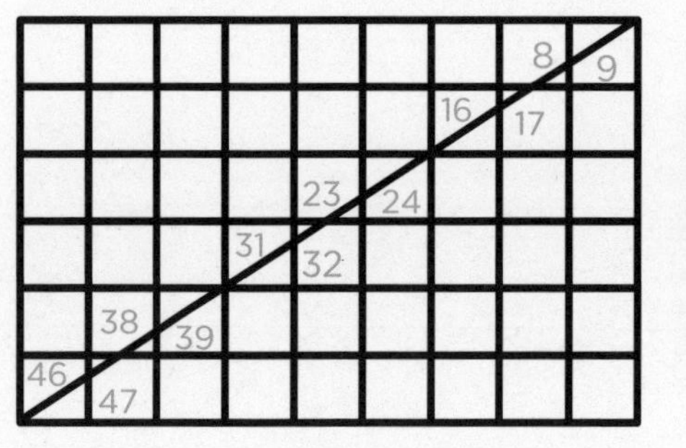

图 12

二楼有 12 家住户要准备贡品

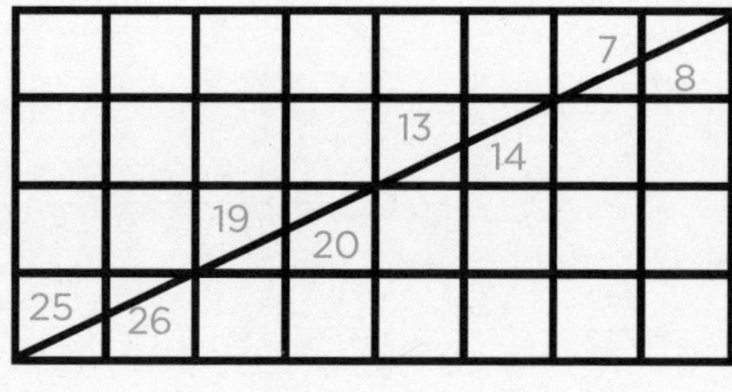

图 13

三楼只有 8 家住户要准备贡品

特错了，经过实际测算，二楼被对角线穿越的房间只有12户！

当然，这个办法用到三楼去，也是不灵的！于是族长焦头烂额，急出了一身冷汗。总算后来有位聪明的年轻人，教了他正确的计算办法：设a代表长度，b代表宽度，(a,b)表示a，b的最大公约数（当a,b互质时，最大公约数等于1)，则被对角线穿越的房间数应为a+b-(a,b)。

验证一下：

底层：10+9-(10,9)=19-1=18

二楼：9+6-(9，6)=15-3=12

三楼：8+4-(8,4)=12-4=8

请你想一想，式子 **a+b-(a,b)** 是根据什么得出来的。你能想到吗？■

JIAO HUA DE WU GUI

狡猾的乌龟

乌龟又要和别人赛跑了，可是，这一次它的对手不是兔子，而是羚羊。

羚羊信心十足，因为在动物界，羚羊是有名的“飞毛腿”，更别说跟乌龟比赛了。羚羊想：只要我在比赛的时候不像兔子那样中途睡大觉，肯定能赢。它反复考虑，始终觉得胜算在握，绝不会出什么意外。

第二天早上，它们前往指定的出发地点。等它们到了那里，公证人老虎大喝一声：“跑吧！”羚羊拔脚飞奔，把乌龟远远甩在后面。

过了一会儿，羚羊停了下来，高声问道：“喂，可怜的乌龟，你在哪儿啊？”

但听“哧”的一声冷笑，乌龟回答说：“我在这里呀!”

羚羊大吃一惊，于是顾不上喘息，跑得更快了。它跑了好一阵子，又停下来问：“乌龟，你在哪儿啊？”它又听见乌龟慢悠悠地回答：“我在这里。”

再往前还是老样子。羚羊时常停下来问：“乌龟，你在哪儿?”而每一次乌龟总是不慌不忙地回答：“我在这里。”

最后，羚羊跑到了指定的终点，可是乌龟已经在那里等它了。

“老兄，我早到了，你认输吧！”

原来这只乌龟骗了羚羊。它在头天夜里把自己所有的亲属召集起来，开了次紧急会议，让它们待在羚羊经过的路边青草里。羚羊每次停下来喊乌龟，其中的一只就马上回答它。

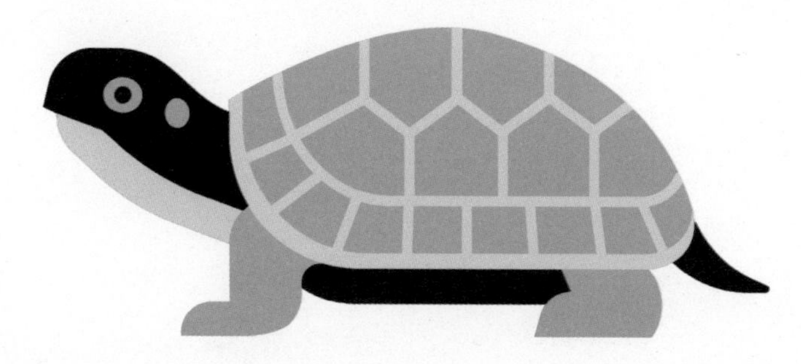

羚羊却是

有眼无珠，受骗之后还错误地认为，也许对手是只千年老乌龟，兴许能够飞，所以心甘情愿地认输了。

以上这则非洲的寓言故事，旨在说明“要紧的不是跑得快，而是长有一个好脑袋”。

如果你能回顾一下上述寓言，就不难发现两个特征：乌龟家族人员众多，可以听候调遣；任一个体都一模一样，无法区别。现在我们要问，还有什么东西也具有这些特征呢？这个问题来得突兀，好像很难回答。但只要略微一想就会恍然大悟：自然数家族不就是现成的答案吗？

经过训练，许多动物都能认识简单的阿拉伯数字。一些资深的专业科普作家，在欣赏了精彩的动物表演之后，往往能受到启发，

写出很优秀的科普作品。

荣获斯大林奖金的苏联数学家、教育家柯尔詹姆斯基先生曾以“开发心灵美”为题，举了一些令人叹服的巧妙算法，其中之一如下：

例：8888×3333=29623704（见算式）

```
      8888
  ×   3333
----------
        24
      2424
    242424
  24242424
    242424
      2424
        24
----------
  29623704
```

数学发展到了今天，其重点已经不在于单纯的计算。像这类题目，谁不会算，孩子们只要用袖珍计算器就算出来了。然而，把科学和趣味联系起来，这才是这道题的精髓所在。

NIU YU HU DE DUI HUA

牛与狐的对话

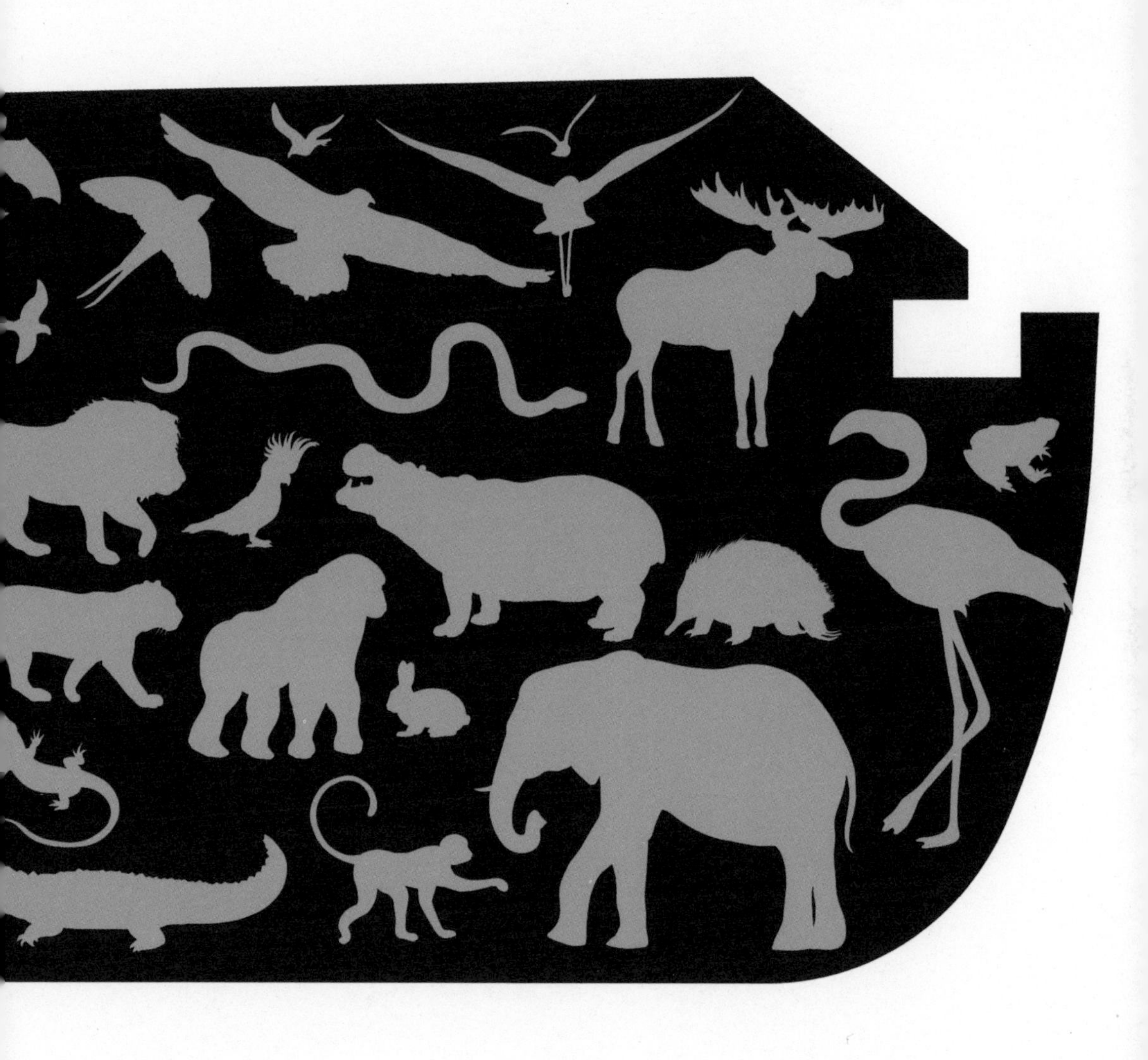

传说，上古时代地球上发大洪水。为了保存物种，诺亚把牛同狐狸带上了那只著名的方舟，同舟共济做了一次“同路人”。但从那以后，它们就桥归桥，路归路，河水不犯井水，老死不相往来。

欧洲文艺复兴以后，社会发生剧烈变动，自给自足的小农经济开始没落。老黄牛感觉到自己有点儿跟不上形势了，而老狐狸的日子却一天比一天红火，上门“孝敬”的人越来越多，把个老黄牛看得心里痒痒的。于是老黄牛求亲托友，送上一份厚礼，心甘情愿地要拜老狐狸为师。

光阴似箭，日月如梭，眼看3年快到了。在此期间，由于狐狸倾心传授，黄牛学到了不少本事。但它是不是把狐狸的本领全部学到了呢？作为老师的狐狸决定举行一场别开生面的毕业考试：不采取一问一答的形式，而是通过对话，比一比吹牛皮的功夫。

狐狸说："我看见一只小小的圆形木桶，当初马其顿亚历山大大帝的 88 万大军在里面洗澡，也不觉得拥挤。"

老牛说："是啊！我肚子里也有一本账。你可知道箍这只木桶的竹子吗？有人偷了一根竹子，用尺去量，父传子，子传孙，可到他孙子手里还没有量完；拿它来箍这只桶，只用了$\frac{1}{10}$。"

狐狸落了下风，但他不肯服输，又说道："我家老祖宗是位九尾仙狐，早已修成正果，他的大女儿就是赫赫有名的商纣王的妃子妲己娘娘。庙里有一只牛皮大鼓，年初一敲响，到了大年三十还有

余音呢。”

老黄牛说：“有一只大牛住在江北，他把头伸出来到江南啃吃青草；喝了3口水，连大江都见底了。”

狐狸怒斥：“一派胡言！哪有这样的大牛？”

老牛心平气和地回答：“没有这种大牛，哪来牛皮去蒙你家庙里的大鼓？”

这真是以子之矛，攻子之盾。狐狸哑口无言，只好服输。老黄牛青出于蓝而胜于蓝，终于通过了考试。

有道是“假作真时真亦假”，如果大前提错了，结论怎么会对呢？不过，能将错的说成对的，并且能自圆其说，倒也显出一个人的智慧。

比如，有人看到下面颠三倒四、不知所云的算术等式：

24÷56=37，83×17=43

46-2=80，97+43=8

认为是某人发高烧时的“杰作”，好比张天师画符，毫无意义。

但是，有人竟认为这些等式是正确的！只不过，这里的 +、-、×、÷ 等运算符号与 0、1、2、3、4 等数码的意义变了。经分析，他排出了一张“对照表”：

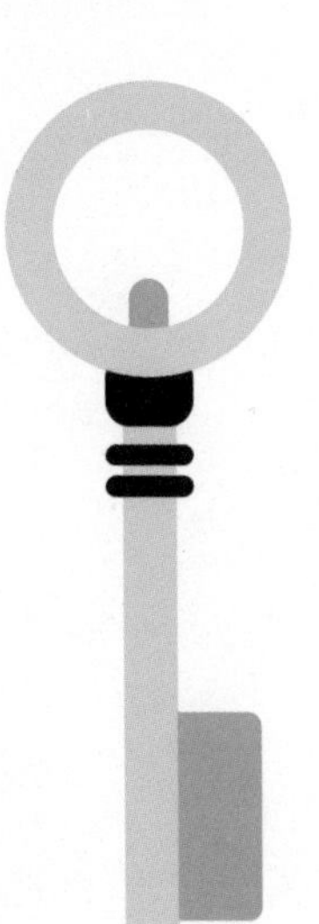

表面假象 0123456789+ - × ÷

真正意义 7436129058÷ × - +

用这张“对照表”一套，上面 4 个稀奇古怪的等式，露出了它们的“庐山真面目”，原来竟是：

31+29=60，56-40=16

19×3=57，80÷16=5

这4个等式居然天衣无缝，一点儿也不错，就像老牛的吹牛皮大话一样可以自圆其说。

把运算符号与数码打乱了重排，虽然是**密码学**的一种粗浅方法，但对未掌握“**密钥**”的人来说，破译起来倒也并不容易。■

SHEN QI DE 1001

神奇的1001

有一回，红辣椒和西瓜进行了一次简短的对话。双方各不相让，用词尖刻，好像钉头碰上了铁头。红辣椒对西瓜说：“我是红的，你也是红的。可是咱总也弄不明白，你为什么红得发甜，人见人爱；而我却红得很辣，使有些人望而生畏，退避三舍呢？”

西瓜答道：“这是因为，我红在心里，而你却红在外表。”

自然数家族里也是如此。同样是数字，有些数备受欢迎，如818（谐音为“发一发”）；有些数却让人避之唯恐不及，如14（谐音为“要死”）。不过，前几年一度“红得发紫”的818只是外表招人喜欢，骨子里却是个“草包”；1001才是货真价实，既有外在美，又有内在美的数。

一代数学大师、德高望重的陈省身老先生，在2002年北京国际数学家大会期间为少年数学论坛题词：“数学好玩”。数学好玩吗？数学确实好玩，你看，

1001 就是一个非常好玩的数。

任意一个 3 位数乘以 1001，你简直算都不用算，只要眨一眨眼睛，结果就出来了。其办法是：只要把那个 3 位数“克隆”一下接在原数的后面，使之变成 6 位数就行了。例如：

357×1001=357357，

606×1001=606606

容易验证，这类 6 位数肯定能被 3 个“桀骜难驯”的素数 7、11、13 整除。

如果被乘数只是 1 位数或 2 位数，也可照此办理；但事先要添加 0，补足为 3 位数，最后再在答案中省略。例如：

37×1001=37037，

8×1001=8008

大家都知道，在加减乘除四则

运算中，除法是最麻烦的运算。然而，如果除数为1001，那就轻而易举了。

比如，要把真分数 $\frac{a}{1001}$ 化为小数，该怎么办呢？是照普通办法一步步地除吗？完全无此必要，我们可以一步就写出答数。一般地说，它是一个循环节为 6 位的循环小数，可分为前后 2 段，每段各 3 位；前半段的 3 位数必然是 a-1，而后半段的 3 位数则是 999-(a-1)。例如：

$$\frac{334}{1001}=0.\dot{3}3366\dot{6}$$

$$\frac{667}{1001}=0.\dot{6}6633\dot{3}$$ ■

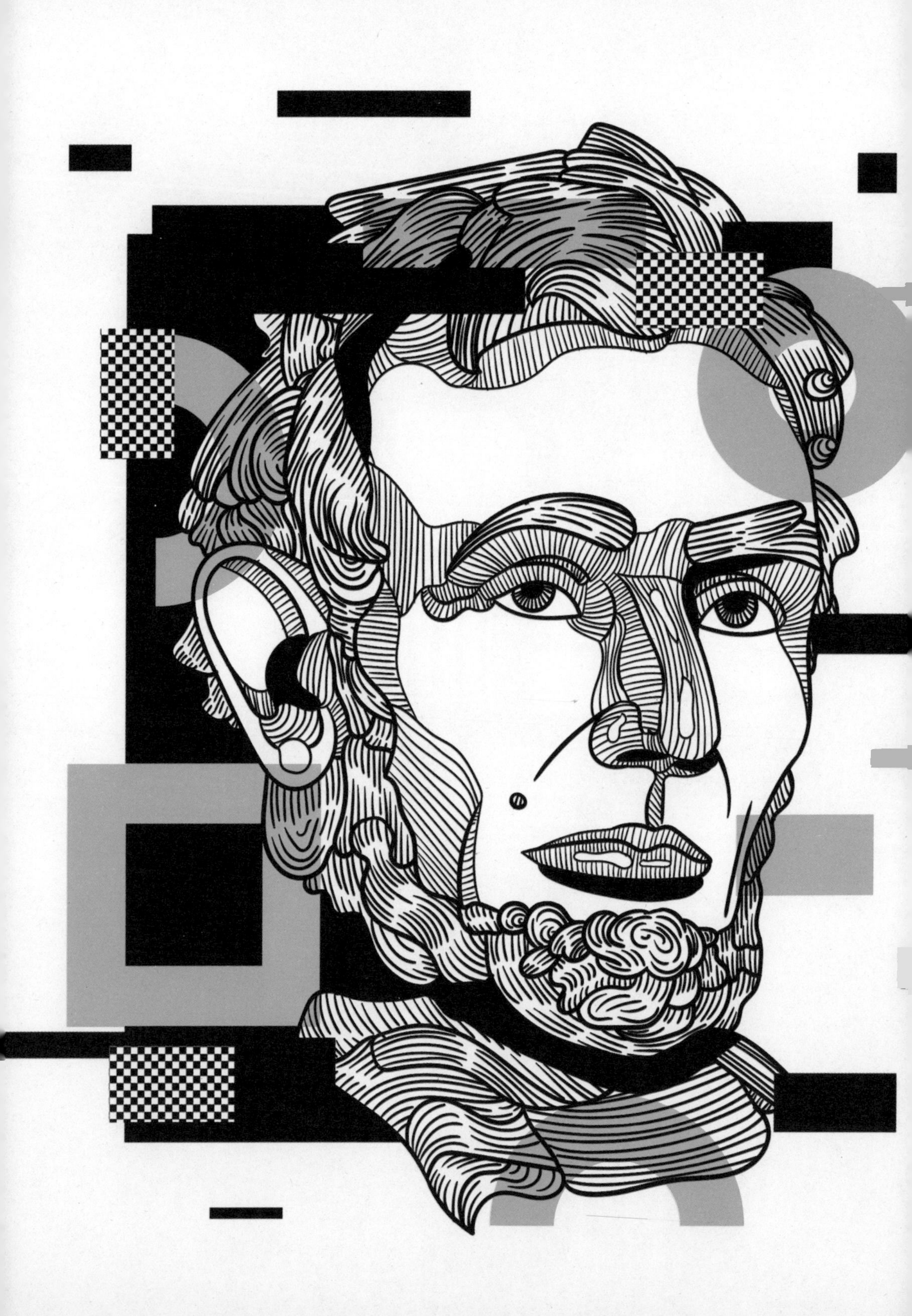

LIN KEN NU CHI WEI ZHENG

林肯怒斥伪证

在文章里头适当穿插一些俗语，就好比在羹汤里加调料。比如，形容当官的十分贪婪，如果只是在字面上平铺直叙，别人看了，不会留下什么印象。如果把其人说成“从茅厕上过，也要拾块干屎”，这个人的贪婪就活灵活现地出现在面前了。

“上知天文地理，下知鸡毛蒜皮”，俗语涉及方方面面，简直无所不包。京津地区及河北省许多人嘴边常说“沧州狮子景州塔，真定府里大菩萨”，形容智者无所不知，肚子里有一本细账。原来，沧州城里有铸铁狮子一座，重约40吨，据说是文殊菩萨的坐骑；景州也在河北省，境内有舍利塔，共13层，高度

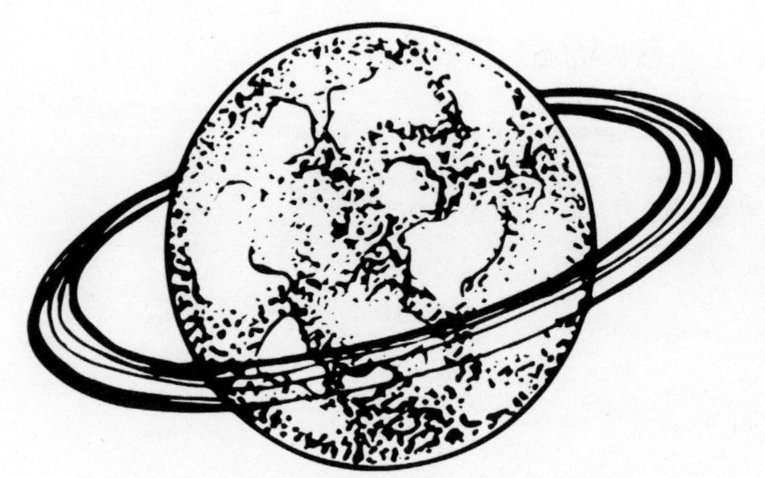

有63米；真定府是辽金时期的古地名，即今河北省正定市，城里有个中外闻名的隆兴寺大悲阁，里面一个铜铸的大菩萨像有42条臂，高20余米，又称千手千眼大慈大悲观世音菩萨。这三样是北方有名的畿南三宝。

常言道，“绳锯木断，水滴石穿”，长年累月、不知不觉之间积累起来的知识，在适当时间，就能形成一种力量；一旦打出铁拳，足以使局面改变，令人大惊失色。

下面来讲一个林肯拆穿伪证的著名故事。亚伯拉罕·林肯那时尚未担任美国总统，解放黑奴、南北战争等一系列历史事件也尚未发生，他还在当他的律师。有一回，他接受了当事人小阿姆斯特朗的委托，为他辩护。后者已被初步认定为“谋财害命”的嫌疑人，一旦罪名成立，他就要上绞刑架！

法庭上进行了唇枪舌剑、激烈的交锋。然而，形势越来越对小阿姆斯特朗不利了。主要证人福尔逊对上帝、圣母和主耶稣发誓说，他在10月18日晚上11点左右，从二三十米外的地方清楚地看见，

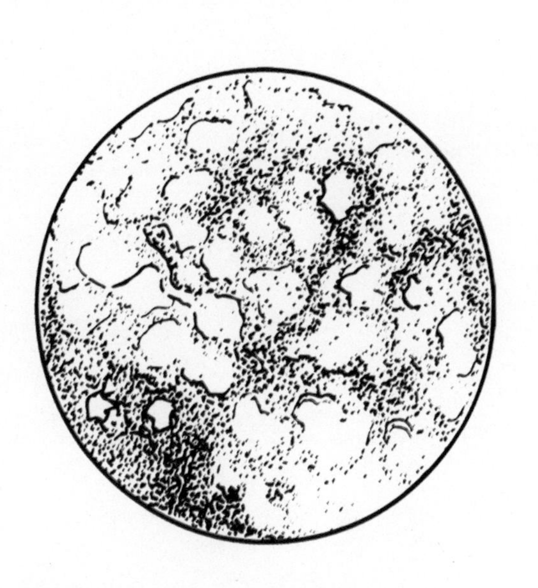

小阿姆斯特朗站在西面用猎枪打死了在东面的死者。“我肯定认清了他——作案者的狰狞面目，因为那时月光正照在他的脸上。”证人说完以后，大摇大摆地回到他的座位上。尽管小阿姆斯特朗大喊冤枉，矢口否认，可是在场的人没人相信他的辩解。眼看法官就

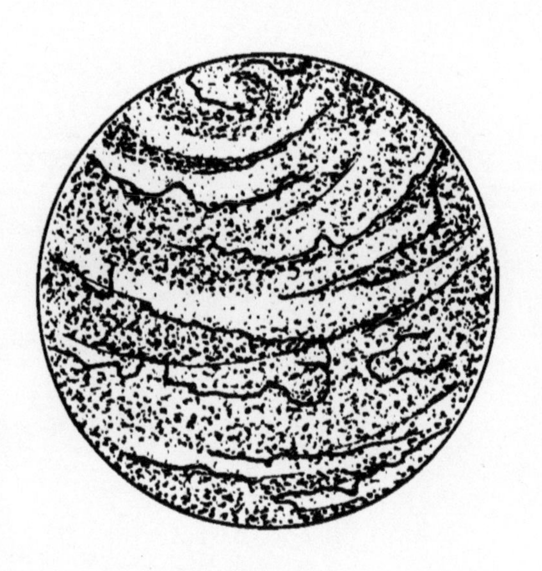

要拍板，小阿姆斯特朗命在旦夕。

正在千钧一发之际，冷不防半路里杀出了程咬金，林肯站起来拆穿了伪证者的鬼话："请大家想一想，10月18日那天正好是上弦月，夜晚11点时月亮已经下山，哪里还有月光？退一步说，也许他时间记得不十分精确，实际时间有所提前，但那时月光应是从西向东照射，而被告的脸也是朝东的，好像拍照时的背光，脸上怎么可能有月光呢？所谓证人从二三十米外清楚地看到了被告的脸，这是不折不扣的谎话。"

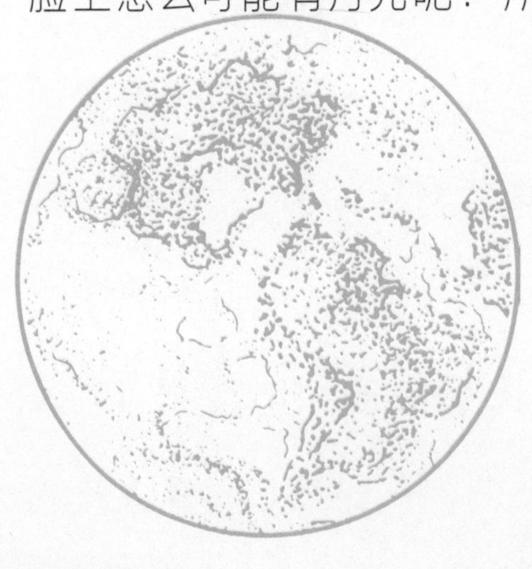

福尔逊听到林肯一针见血的话，目瞪口呆，顿时手忙脚乱，埋怨自己

聪明一世、懵懂一时。他本想改口，但为时已晚，船到江心补漏迟，伪证骗局当场被识破。后来查明凶手另有其人，小阿姆斯特朗无罪释放，林肯因此一举成名。

太阳、月亮、地球的相对运动研究起来非常复杂，是数学上有名的“三体问题”，但它目前已基本上得到解决。比如，作者手头就有一本1841年到2060年的《万年历》，2060年距今尚有40年，但月相变化早已算得一清二楚了。朔、望、上弦、下弦等，一般西方人是不大懂的，可是林肯能了如指掌，运用自如，真是了不起啊！

WU SAN GUI YUE MIAO WEN BU

吴三桂岳庙问卜

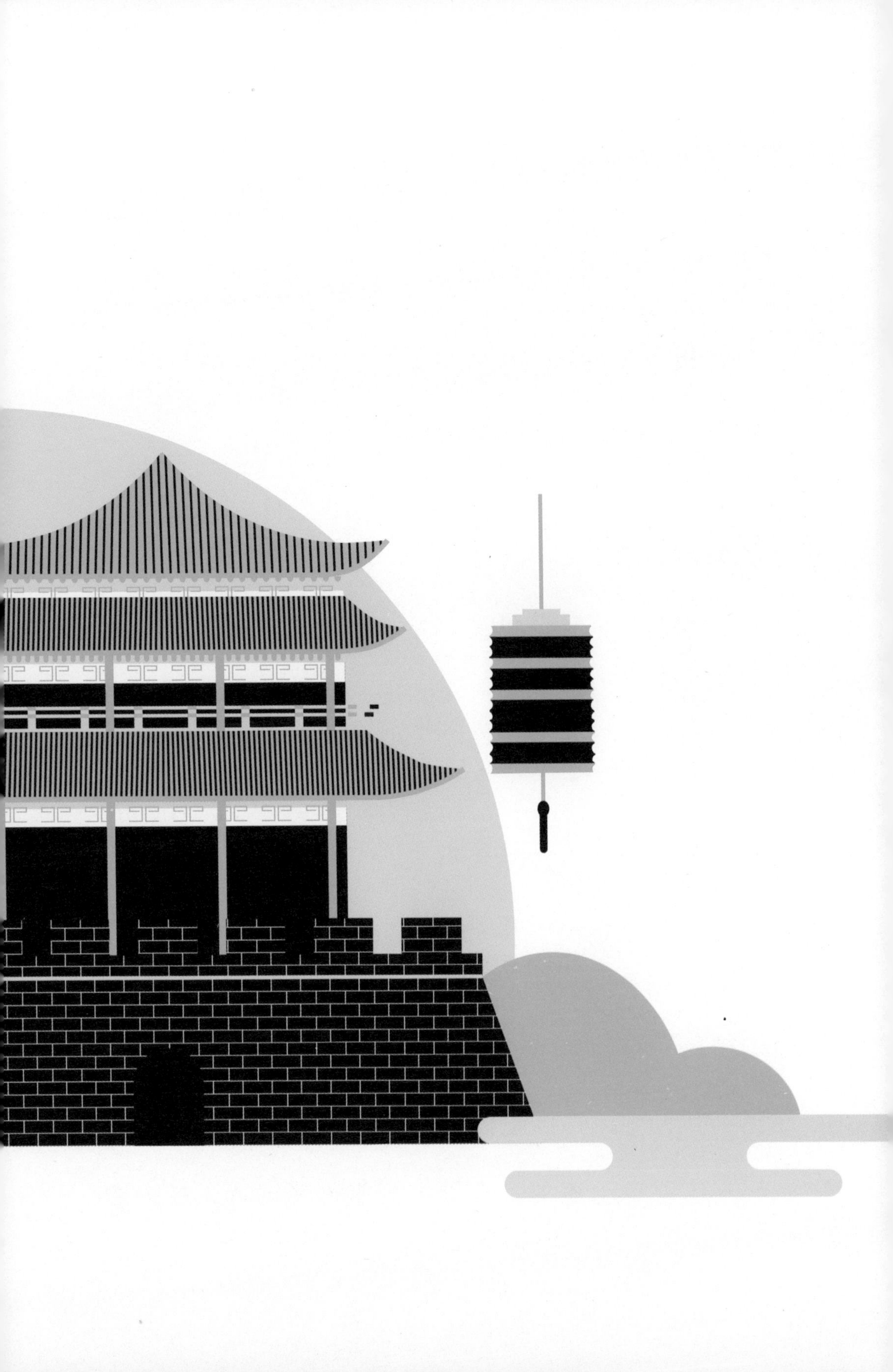

有人说"俗语是不识字者的成语"，虽然不大确切，但要想写出生动有趣的好文章，确实是少不了俗语的。俗语是一个很大的范畴，包括谚语、歇后语等，甚至同谜语也有犬牙交错的时候。民间歇后语有一种很特殊的表现手法，就是故意使用同音字，比如：

四两棉花——不谈了（由"弹"转变为"谈"）；

外甥打灯笼——照旧（从"舅"转变为"旧"）。

歇后语往往有着很强的地域性，比如：

卢沟桥的狮子——数不清（北京、天津、河北省）；

大舞台对过——天晓得（上海、江苏、浙江）。

"吴三桂岳庙问卜——尽走老路"这句歇后语，在四川、云南、贵州、湖南一带很有名。吴三桂原是明朝末年镇守山海关的总兵，后来带领清兵入关，镇压了李自成的农民起义军，又缢杀了南明的永历帝，最后又想自己做皇帝。他在康熙十二年起兵叛乱，势力一度很大，打到甘肃、陕西、宁夏、江西。公元1678年，他在湖南衡阳称帝，不久病死。其孙子接位，又折腾了好几年，最后才被清朝平定。这就是历史上有名的“三藩之乱”。

吴三桂非常迷信，他在衡阳称帝时，听说南岳大庙（建于唐朝开元十三年，历代都有重修）有只白毛乌龟十分灵验，便前去问卜。当时他兵锋锐利，攻城夺寨好不得意。他将天下疆域图供在神案之前，让这只白毛乌龟在图上爬，一面口中念念有词，希望它向武汉、南京直至北京爬去，以便成就他的“帝业”。奇怪的是，这只白毛乌龟在图上爬来爬去，总是不出湖南、云贵一带，而且圈子越来越小，尽走老路。从此以后，“吴三桂岳庙问卜——尽走老路”就成了一句相当有名的歇后语了。

不过，在数学里有时候“尽走老路”也不失为一种好办法，如**数学归纳法**。数学归纳是“走老路”的典型例子；但由于其内容较深，我们另举一个浅显易懂的例子，来说明在数学里有时候“走老路”也不失为一种好办法。

“龟兔赛跑”的故事，几乎在全世界各民族中都有不同的版本。不过，这一次，它们不是比赛跑步，而是要对调阵地。如下图14，为了简便起见，可以用硬币代替，正面（H）代表兔子，反面（T）代表乌龟。共有3兔3龟，每次可以走1步或跳1步。请问：至少需要几步，才能使龟兔走到对方的大本营去？

图14

从图上看，空格只有1格，以作为调兵遣将之用。

至于最优的跳法，倒也不容易。经过高人指点，跳法如下（黑体字表示跳，一般字体表示走）：

H，**T**，T，**H**，**H**，H，**T**，**T**，**T**，H，**H**，**H**，T，**T**，H

共15步，其中T 7步，H 8步，并不对称。

人们在解出此题之后，自然会问：如果题目改为4兔4龟，其他情况不变，则解法又将如何呢？

此题是国外一道很有名的开放性题目。对此，出题人（当代大数学家康威，即“生命游戏”的发明人）的回答是“走老路”，跳法如下：

H，**T**，T，**H**，**H**，H，**T**，**T**，**T**，T，**H**，**H**，

H，**H**，T，**T**，**T**，**T**，H，**H**，**H**，T，**T**，H

共24步。请注意：前9步的跳法同上面完全一样，后6步也是如此，只有中间的9步才有所差异。

他风趣地说，此中的自然规律很值得玩味啊！掌握了要领之后，不要说4兔4龟，就是100只兔子与100只乌龟，也能用最少步数进行大调防了。■

图书在版编目（CIP）数据

神奇的 1001 / 谈祥柏著 ; 许晨旭绘 . -- 北京 : 中国少年儿童出版社 , 2020.6
（中国科普名家名作 . 趣味数学故事 : 美绘版）
ISBN 978-7-5148-5895-2

Ⅰ . ①神… Ⅱ . ①谈… ②许… Ⅲ . ①数学 – 少儿读物 Ⅳ . ① O1-49

中国版本图书馆 CIP 数据核字（2019）第 296286 号

SHEN QI DE 1001
（中国科普名家名作——趣味数学故事 · 美绘版）

出版发行：中国少年儿童新闻出版总社
中國少年兒童出版社

出 版 人：孙 柱
执行出版人：马兴民

责任编辑：李 华　　著　　者：谈祥柏
责任校对：夏明媛　　绘　　者：许晨旭
责任印务：厉 静　　封面设计：许晨旭

社　　址：北京市朝阳区建国门外大街丙 12 号　　邮政编码：100022
编 辑 部：010-57526336　　总 编 室：010-57526070
发 行 部：010-57526568　　官方网址：www.ccppg.cn

印刷：北京市雅迪彩色印刷有限公司

开本：720 mm × 1000mm　1/16　　印张：7
版次：2020 年 6 月第 1 版　　印次：2020 年 6 月北京第 1 次印刷
字数：140 千字　　印数：8000 册

ISBN 978-7-5148-5895-2　　定价：29.80 元

图书出版质量投诉电话 010-57526069，电子邮箱：cbzlts@ccppg.com.cn